O Pequeno Príncipe

Dados Internacionais de Catalogação na Publicação (CIP)
(Câmara Brasileira do Livro, SP, Brasil)

Saint-Exupéry, Antoine de, 1900-1944.
  O Pequeno Príncipe : com as aquarelas do autor / Antoine de Saint-Exupéry ; tradução de Rodrigo Tadeu Gonçalvez. – Petrópolis : Vozes, 2015. (Vozes de Bolso – Literatura)

  Título original: Le petit prince : avec des aquarelles de l'auteur.

  7ª reimpressão, 2020.

  ISBN 978-85-326-5118-1

  1. Literatura infantojuvenil I. Título.

15-07072   CDD-028.5

Índices para catálogo sistemático:
  1. Literatura infantil 028.5
  2. Literatura infantojuvenil 028.5

Antoine de Saint-Exupéry

O Pequeno Príncipe

Com as aquarelas do autor

Tradução de Rodrigo Tadeu Gonçalves
Para Dora.

Vozes de Bolso

Título do original em francês: *Le Petit Prince – Avec des aquarelles de l'auteur,* publicado pela Éditions Gallimard, em 1946.

© desta tradução:
2015, Editora Vozes Ltda.
Rua Frei Luís, 100
25689-900 Petrópolis, RJ
www.vozes.com.br
Brasil

Todos os direitos reservados. Nenhuma parte desta obra poderá ser reproduzida ou transmitida por qualquer forma e/ou quaisquer meios (eletrônico ou mecânico, incluindo fotocópia e gravação) ou arquivada em qualquer sistema ou banco de dados sem permissão escrita da editora.

CONSELHO EDITORIAL

Diretor
Gilberto Gonçalves Garcia

Editores
Aline dos Santos Carneiro
Edrian Josué Pasini
Marilac Loraine Oleniki
Welder Lancieri Marchini

Conselheiros
Francisco Morás
Ludovico Garmus
Teobaldo Heidemann
Volney J. Berkenbrock

Secretário executivo
João Batista Kreuch

Diagramação: Editora Vozes
Capa: visiva.com.br
Ilustração de capa: Antoine de Saint-Exupéry

ISBN 978-85-326-5118-1

Editado conforme o novo acordo ortográfico.

Este livro foi composto e impresso pela Editora Vozes Ltda.

Para Léon Werth

Peço desculpas às crianças por ter dedicado este livro a uma pessoa grande. Tenho uma desculpa importante: essa pessoa grande é o melhor amigo que eu tenho no mundo. Tenho outra desculpa: essa pessoa grande pode compreender tudo, até os livros para crianças. Tenho uma terceira desculpa: essa pessoa grande mora na França, onde ela passa fome e frio. Ela precisa muito ser consolada. Se todas essas desculpas não forem suficientes, gostaria então de dedicar este livro à criança que outrora essa pessoa grande foi. Todas as pessoas grandes já foram crianças. (Mas poucas dentre elas se lembram disso.) Corrijo, então, minha dedicatória:

    Para Léon Werth
   quando ele era um menino.

Eu creio que ele aproveitou, para sua fuga, uma migração de pássaros selvagens.

I

Uma vez, quando eu tinha seis anos, vi uma imagem magnífica num livro sobre a floresta tropical que se chamava *Histórias reais*. Ela representava uma jiboia que engolia um animal enorme. Ponho aqui uma cópia do desenho.

O livro dizia: "As jiboias engolem suas presas inteiras sem mastigar. Em seguida, não conseguem se mexer e dormem durante os seis meses de digestão".

Desde então eu refleti muito sobre as aventuras da selva e, de minha parte, consegui, com um lápis de cor, traçar meu primeiro desenho. Meu desenho número 1. Ele era assim:

Eu mostrava minha obra-prima para as pessoas grandes e perguntava se meu desenho dava medo.

Elas me respondiam: "Por que um chapéu daria medo?"

Meu desenho não representava um chapéu. Ele representava uma jiboia digerindo um elefante. Então, eu desenhei o interior da jiboia, para que as pessoas grandes pudessem entender. Elas sempre precisam de explicações. Meu desenho número 2 era assim:

As pessoas grandes me aconselharam a deixar de lado os desenhos de jiboias abertas e fechadas e a me interessar mais pela geografia, história, matemática, gramática. Foi assim que abandonei, com seis anos de idade, uma magnífica carreira de pintor. Fui desencorajado pelo insucesso do meu desenho número 1 e do meu desenho número 2. As pessoas grandes nunca entendem nada sozinhas, e é cansativo para as crianças sempre e sempre dar explicações.

Tive, então, que escolher outra ocupação e, assim, aprendi a pilotar aviões. Voei um pouco por todo o mundo. E a geografia, verdade, me serviu bastante. Eu conseguia distinguir, com uma só olhada, a China do Arizona. É bem útil, quando se está perdido no meio da noite.

Assim, eu tive, ao longo da vida, muitíssimos contatos com pessoas sérias. Vivi bastante entre as pessoas grandes. Eu as vi de bem perto. Mas isso não mudou em nada minha opinião.

Quando eu encontrava uma que me parecia um pouco mais lúcida, eu fazia um experimento com meu desenho número 1, que eu sempre guardei comigo. Eu queria saber se ela era realmente compreensiva. Mas ela sempre me respondia: "É um chapéu". Então eu não falava mais de jiboias, nem de florestas tropicais, nem de estrelas. Eu me colocava no nível delas. Falava de bridge, de golfe, de política e de gravatas. E a pessoa grande ficava bem contente de conhecer um homem assim tão razoável...

II

E assim eu vivi sozinho, sem ninguém para conversar de verdade, até uma pane no Deserto do Saara, há seis anos. Alguma coisa tinha quebrado no meu motor. E como eu não tinha nem mecânico nem passageiros, eu me preparava para tentar, sozinho, um conserto bem difícil. Para mim, era questão de vida ou morte. Eu tinha água para beber só para uns oito dias.

Na primeira noite, dormi sobre a areia a mil milhas de qualquer terra habitada. Eu estava mais isolado que um náufrago em uma jangada no meio do oceano. Então, imaginem minha surpresa, ao raiar do dia, quando uma vozinha engraçada me despertou. Ela dizia:

– Por favor... me desenha uma ovelha!

– Hein?

– Me desenha uma ovelha...

Eu me botei de pé como se tivesse sido atingido por um raio. Esfreguei bem os olhos. Olhei bem. E vi um rapazinho totalmente extraordinário que me olhava sério. Esse é o melhor retrato que consegui fazer dele mais tarde. Mas o meu desenho é, na verdade, bem menos deslumbrante do que o modelo. Não é minha culpa. Eu tinha sido desencorajado em minha carreira de pintor pelas pessoas grandes, aos seis anos, e não aprendi a desenhar nada exceto jiboias fechadas e jiboias abertas.

Eu olhava, então, para essa aparição com os olhos arregalados de admiração. Não se esqueça que eu estava a mil milhas de distância de qualquer região habitada. Mas o meu rapazinho não parecia nem perdido, nem morto de cansado, nem morto de fome, nem morto de sede, nem morto de medo. Ele não tinha em nada a aparência de uma criança perdida no meio do deserto, a mil milhas de qualquer região habitada. Quando consegui enfim falar, eu lhe disse:

– Mas... o que é que você está fazendo aí?

E ele me repetiu, bem devagar, como se fosse uma coisa bem séria:

– Por favor... me desenha uma ovelha...

Quando o mistério é muito impressionante, não se ousa desobedecer. Por absurdo que me parecesse a mil milhas de todas as regiões habitadas e com a vida em risco, tirei do meu bolso uma folha de papel e uma caneta. Aí lembrei que eu tinha estudado geografia, história, matemática e gramática e disse ao garotinho (com um pouco de mau humor) que eu não sabia desenhar. Ele me respondeu:

– Não tem problema. Me desenha uma ovelha.

Como eu nunca tinha desenhado uma ovelha, refiz para ele um dos dois únicos desenhos que eu conseguia fazer. O da jiboia fechada. E fiquei aturdido ao ouvir o rapazinho me responder:

Esse é o melhor retrato que consegui fazer dele mais tarde.

– Não! Não! Eu não quero um elefante dentro de uma jiboia. A jiboia é muito perigosa e o elefante é muito volumoso. Onde eu moro tudo é pequeno. Eu preciso de uma ovelha. Me desenha uma ovelha.

Então eu desenhei.

Ele olhou com atenção, e então:

– Não! Essa aí está muito doente. Faz uma outra.

E eu desenhei:

Meu amigo sorriu gentilmente, com indulgência:

– Veja bem... isso aí não é uma ovelha, é um carneiro. Ele tem chifre...

Eu refiz então meu desenho mais uma vez:

Mas ele foi recusado, como os anteriores:

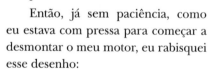

– Essa aí tá muito velha. Eu quero uma ovelha que viva bastante.

Então, já sem paciência, como eu estava com pressa para começar a desmontar o meu motor, eu rabisquei esse desenho:

E lhe lancei:

– Tá aí a caixa. A ovelha que você quer tá aí dentro.

No entanto, qual não foi minha surpresa ao ver se iluminar o rosto do meu jovem juiz:

– É bem assim que eu queria! Você acha que essa ovelha precisa de muito capim?

– Por quê?

– Porque lá onde eu moro é tudo pequeno...

– Ah, com certeza vai bastar. Eu lhe dei uma ovelha bem pequena.

Ele inclinou a cabeça sobre o desenho:

– Não é tão pequena assim... Olha. Ela pegou no sono...

E foi assim que eu conheci o pequeno príncipe.

III

Demorou um bom tempo para entender de onde ele vinha. O pequeno príncipe, que me fazia tantas perguntas, parecia nunca escutar as minhas. Foram palavras pronunciadas ao acaso que, pouco a pouco, me revelaram tudo. Assim, quando ele se deu conta pela primeira vez do meu avião (que não vou desenhar aqui, que é um desenho bem mais complicado para mim), ele me perguntou:

– O que é aquela coisa ali?

– Não é uma coisa. Ele voa. É um avião. É o meu avião.

E fiquei orgulhoso de contar pra ele que eu voava. Então ele exclamou:

– Como!? Você caiu do céu!

– Sim, respondi modestamente.

– Ah, que engraçado!

E o pequeno príncipe deu uma bela de uma gargalhada que me irritou bastante. Eu gosto que levem a sério as minhas desgraças. Depois, ele acrescentou:

– Então você também vem do céu! De que planeta você vem?

E logo percebi uma luminosidade no mistério de sua presença, e interroguei bruscamente:

– Você vem de outro planeta, então?

Contudo, ele não me respondeu. Balançava a cabeça lentamente enquanto olhava meu avião:

– É verdade que, com isso aí, você não consegue vir de muito longe...

Ele mergulhou dentro de si e ficou absorto em pensamentos por um longo tempo. Depois, tirando do bolso minha ovelha, contemplou profundamente seu tesouro.

Você pode imaginar o quanto eu me intriguei com essa pequena revelação sobre "os outros planetas". Eu me esforçava por saber mais:

– De onde você vem, meu jovenzinho? Onde é a sua "casa"? Pra onde você quer levar minha ovelha?

E ele me respondeu após um silêncio meditativo:

– O bom é que a caixa que você me deu, à noite, vai servir de casa.

– Certamente. E se você for bonzinho, eu lhe dou também uma corda pra amarrá-la à noite. E uma estaca.

– Amarrar? Que ideia boba!

– Mas, se você não amarrá-la, ela vai se perder por aí.

E meu amigo deu mais uma bela risada:

– Mas onde você acha que ela vai?

– Não sei pra onde. Em frente...

Então o pequeno príncipe observou gravemente:

O pequeno príncipe sobre o asteroide B 612.

– Não tem problema. É tão pequeno lá em casa!

E, talvez um pouco melancólico, acrescentou:

– Seguindo em frente não se pode ir muito longe...

IV

Descobri, assim, uma segunda coisa bastante importante: que o seu planeta de origem era quase do tamanho de uma casa!

Eu nem deveria me surpreender. Eu já sabia que, além dos planetas grandes como a Terra, Júpiter, Marte, Vênus, aos quais foram dados nomes, havia centenas de outros que são, às vezes, tão pequenos que mal se consegue vê-los com um telescópio. Quando um astrônomo descobre um desses, ele o denomina com um número. Ele o batiza, por exemplo, de "asteroide 3251".

Tenho sérias razões para acreditar que o planeta de onde vinha o pequeno príncipe é o asteroide B 612. Esse asteroide só foi avistado uma vez por telescópio, em 1909, por um astrônomo turco.

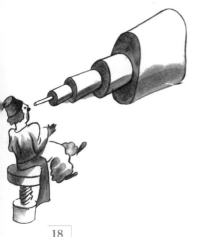

E ele fez uma grande demonstração da sua descoberta em um congresso internacional de astronomia. Mas ninguém acreditou nele por causa da sua roupa. As pessoas grandes são assim.

Felizmente para a reputação do asteroide

B 612, um ditador turco impôs que todo o seu povo se vestisse à maneira europeia, sob pena de morte. O astrônomo refez sua demonstração em 1920, com uma vestimenta bem elegante. E dessa vez todo mundo concordou com ele.

Se eu lhe contei esses detalhes sobre o asteroide B 612 e se eu lhe revelei seu número foi por causa das pessoas grandes. As pessoas grandes adoram os números. Quando você fala com elas sobre um novo amigo, elas nunca perguntam sobre o essencial. Elas nunca dizem: "Como é o som da sua voz? Quais são os jogos que ele prefere? Ele faz coleção de borboletas?" Elas perguntam: "Qual é a idade dele? Quantos irmãos ele tem?" Quanto ele pesa? Quanto que o pai dele ganha?"

Só assim elas acham que podem conhecer alguém. Se você diz a uma pessoa grande: "Eu vi uma linda casa com tijolos cor-de-rosa, gerânios nas janelas e passarinhos no telhado...", elas não conseguem imaginar essa casa. Você precisa dizer: "Vi uma casa de um milhão de reais". Então elas exclamam: "Nossa, deve ser linda!"

Assim, se você lhes disser: "A prova de que o pequeno príncipe existiu é que ele era deslumbrante, que ele sorria, que ele queria uma ovelha. Quando se quer uma ovelha,

isso prova que se existe", elas vão dar de ombros e tratar você como uma criança! Mas se você disser: "O planeta de onde ele vinha era o asteroide B 612", então elas vão se convencer, e vão deixá-lo em paz sem mais perguntas. Elas são assim. Não adianta culpá-las. As crianças devem ser bastante indulgentes com as pessoas grandes.

Mas, com certeza, nós que compreendemos a vida, nós não damos a mínima para os números! Eu adoraria começar essa história como começam os contos de fadas. Eu adoraria dizer:

"Era uma vez um pequeno príncipe que morava num planeta pouco maior do que ele, e que precisava de um amigo..." Para os que compreendem a vida, isso soaria muito mais verdadeiro.

Pois eu não quero que as pessoas leiam meu livro de qualquer jeito. Eu sofro tanto ao recontar essas memórias. Já faz seis anos que meu amigo se foi com a sua ovelha. Se eu tento descrevê-lo aqui, é porque não quero esquecer dele. É triste esquecer um amigo. Nem todo mundo teve um amigo. E eu posso acabar como as pessoas grandes, que só se interessam por números. É por isso também que eu comprei uma caixa de lápis de cor. Não é fácil voltar a desenhar na minha idade, quando a única tentativa que fiz foi desenhar a jiboia fechada e a jiboia aberta, aos seis anos! Eu vou tentar fazer os retratos mais parecidos que puder. Mas não tenho nenhuma certeza de que vou conseguir. Um desenho fica bom, o outro não fica muito. Eu me engano também sobre o tamanho. Ora o pequeno príncipe fica muito grande, ora muito pequeno. Também fico hesitante sobre a cor das suas roupas. Fico tateanto aqui e ali, às vezes mal, às vezes bem. Eu vou me enganar também sobre alguns detalhes mais importantes. Mas vocês vão ter que me perdoar. Meu amigo nunca me dava explicações. Talvez ele me achasse semelhante a ele. Eu, infelizmente, não consigo ver as ovelhas através das caixas. Eu sou talvez um pouco como as pessoas grandes. Devo ter envelhecido.

V

A cada dia eu ficava sabendo de alguma coisa sobre o planeta, sobre a partida, sobre a viagem. Tudo vinha aos poucos, por acaso, junto com as reflexões. Foi assim que, no terceiro dia, eu conheci o drama dos baobás.

Dessa vez também foi por causa da ovelha, pois o pequeno príncipe me interrogou bruscamente, como se tomado de uma séria dúvida:

– É verdade, não é, que as ovelhas comem arbustos?

– Sim, é verdade.

– Ah, fico feliz!

Eu não entendi por que era tão importante que as ovelhas comessem arbustos. Mas o pequeno príncipe acrescentou:

– Então as ovelhas também comem os baobás?

E eu comentei com o pequeno príncipe que os baobás não são arbustos, mas árvores tão altas quanto as igrejas e que, mesmo se ele levasse consigo uma manada de elefantes, ela não daria conta de um único baobá.

A ideia da manada de elefantes fez o pequeno príncipe rir:

– Eu ia precisar colocar um em cima do outro...

Então ele observou com sabedoria:

– Os baobás, antes de crescer, começam sendo pequenos.

– Exato! Mas por que você quer que suas ovelhas comam os pequenos baobás?

Ele me respondeu: "Bem, vejamos!", como se se tratasse de uma evidência lógica. E eu precisei de um grande esforço de inteligência para compreender sozinho o problema.

Com efeito, sobre o planeta do pequeno príncipe, havia, como em todos os planetas, ervas boas e ervas más. Consequentemente, boas sementes de boas ervas e más sementes de más ervas. Mas as sementes são invisíveis. Elas dormem no segredo da terra até que um belo dia uma delas resolva se levantar. Então ela se estica e lança timidamente um deslumbrante raminho inofensivo em direção ao sol.

Se for um raminho de rabanete ou de roseira, podemos deixá-lo crescer como quiser. Mas se for uma planta daninha, é preciso arrancá-la o quanto antes, assim que se possa reconhecê-la. Acontece que havia sementes terríveis no planeta do pequeno príncipe... eram as sementes de baobás. O solo do planeta estava infestado delas. Ora, um baobá, se você se dá conta dele muito tarde, você não consegue mais se livrar dele. Ele toma todo o planeta. Ele o perfura com suas raízes. E se o planeta é muito pequeno, e se os baobás são muito numerosos, eles podem rompê-lo.

"É uma questão de disciplina, me disse mais tarde o pequeno príncipe. Quando você termina sua toalete pela manhã, é preciso fazer a toalete do planeta com bastante atenção. É preciso obrigar-se a arrancar os baobás assim que eles se distingam das roseiras, com as quais se parecem muito quando são bem pequenos. É um trabalho bastante enfadonho, mas bem fácil."

E um dia ele me aconselhou a tentar fazer um belo desenho, para que isso tudo entrasse na cabeça das crianças daqui.

"Se um dia elas viajarem, ele me disse, isso pode servir para elas. Às vezes não tem problema deixar seu trabalho para outra hora. Mas, quando se trata dos baobás, é sempre uma catástrofe. Eu conheci um planeta onde morava um preguiçoso. Ele negligenciou três arbustos..."

E, com as indicações do pequeno príncipe, eu desenhei esse planeta. Eu não gosto de usar um tom moralista. Mas o perigo dos baobás é tão pouco conhecido, e os riscos corridos por alguém que se perca em um asteroide são tão consideráveis, que, nesse caso, eu abro uma exceção à minha reserva. Eu digo então: "Crianças, cuidado com os baobás!" É para advertir meus amigos de um perigo que eles correm há tempos, como eu mesmo corri sem saber, que eu me empenhei tanto nesse desenho. A lição que eu dava valia a pena. Vocês talvez se perguntem: Por que não tem outros desenhos tão grandiosos quanto o dos baobás neste livro? A resposta é muito simples: eu tentei, mas não consegui. Quando desenhei os baobás, eu estava tomado por um sentimento de urgência.

Os baobás.

VI

Ah, pequeno príncipe, eu compreendi, assim, pouco a pouco, sua pequena vida melancólica! Por muito tempo você não teve nenhuma distração a não ser a doçura do pôr do sol. Captei esse novo detalhe, no quarto dia, pela manhã, quando você me disse:

– Eu adoro o pôr do sol. Vamos ver um pôr do sol...

– Mas precisa esperar...

– Esperar o quê?

– Esperar que o sol se ponha.

Primeiro você ficou surpreso, e depois riu de você mesmo. E então me disse:

– Eu sempre acho que estou em casa!

Com efeito. Quando é meio-dia nos Estados Unidos, o sol, todo mundo sabe, se põe na França. Bastaria poder ir para a França em um minuto para assistir ao pôr do sol. Infelizmente a França está bem distante. Mas, no seu pequeno planeta, bastava você mover sua cadeira alguns passos. E você observava o crepúsculo quantas vezes você desejasse...

– Um dia, eu vi o sol se pôr quarenta e quatro vezes!

E um pouco mais tarde, você acrescentou:

– Sabe... quando a gente está muito triste é tão bom ver o pôr do sol...

– No dia das quarenta e quatro vezes, você estava muito triste, então?

Mas o pequeno príncipe não respondeu.

VII

No quinto dia, de novo por causa da ovelha, esse segredo da vida do pequeno príncipe me foi revelado. Ele me perguntou bruscamente, sem preâmbulo, como fruto de um problema há muito meditado em silêncio:

– Uma ovelha, se ela come arbustos, come também as flores?

– Uma ovelha come tudo que ela encontra.

– Até as flores que têm espinhos?

– Sim, até as flores que têm espinhos.

– Então para que servem os espinhos?

Eu não sabia responder. Eu estava muito ocupado tentando afrouxar um parafuso bem-apertado do meu motor. E estava muito preocupado, pois a pane começava a me parecer bastante grave, e a água que se esgotava me fazia temer o pior.

– Para que servem os espinhos?

O pequeno príncipe nunca desistia de uma pergunta depois que a tivesse feito. Eu estava irritado por causa do parafuso e respondi qualquer coisa:

– Os espinhos não servem para nada, é pura maldade da parte das flores!

– Oh!

Mas, depois de um certo silêncio, ele me lançou, com uma espécie de rancor:

– Não acredito em você! As flores são frágeis. Elas são inocentes. Elas se protegem como podem. Elas acham que são terríveis com seus espinhos...

Eu não respondi. E nesse momento eu dizia para mim mesmo: "Se esse parafuso não ceder, eu vou arrancá-lo com uma martelada". O pequeno príncipe mais uma vez perturbou minhas reflexões:

– E você acha que as flores...

– Não! Não! Não acho nada! Eu respondi qualquer coisa. Eu, aqui, me ocupo de coisas sérias!

Ele me olhou estupefato.

– Coisas sérias!

Ele me olhava, martelo na mão, dedos escuros de graxa, inclinado sobre um objeto que lhe parecia muito feio.

– Você fala como as pessoas grandes!

Isso me deixou um pouco envergonhado. Mas, impiedoso, ele acrescentou:

– Você confunde tudo... você mistura tudo!

Ele estava realmente irritado. Seus cabelos dourados se agitavam com o vento:

– Eu conheço um planeta onde vive um senhor enrubescido. Ele nunca sentiu o perfume de uma flor. Ele nunca observou uma estrela. Ele nunca amou ninguém. Ele nunca fez outra coisa a não ser contas. E o dia inteiro ele repete, como você: "Eu sou um homem sério! Eu sou um homem sério!", e isso o faz inflar de orgulho. Mas ele não é um homem, ele é um cogumelo!

– Um o quê?

– Um cogumelo!

O pequeno príncipe estava todo pálido de cólera.

– Há milhões de anos as flores fabricam espinhos. Há milhões de anos as ovelhas comem até mesmo as flores. E não é algo sério buscar compreender por que elas se dão ao trabalho de fabricar espinhos que não servem para nada? Não é importante a guerra entre as ovelhas e as flores? Não é mais sério e mais importante que as contas de um grande senhor enrubescido? E se eu, de minha parte, conheço uma flor única no mundo, que não existe em parte alguma senão em meu planeta, e que uma ovelhinha pode aniquilar de uma só vez, assim, numa manhã qualquer, sem se dar conta do que fez, isso não é importante?

Ele enrubesceu, e continuou:

– Se alguém ama uma flor que só existe em uma estrela entre milhões e milhões de estrelas, isso basta para que ele fique feliz quando olha para o céu. Ele diz para si mesmo: "A minha flor está lá, em algum lugar..." Mas se a ovelha comer a flor, para ele é como se, bruscamente, todas as estrelas se apagassem! E isso, então, não é importante!?

Ele não conseguiu dizer mais nada. Subitamente, ele rompeu em soluços. A noite caía. Eu deixei de lado minhas ferramentas. Meu martelo, o parafuso, a sede e a morte, nada mais me importava. Havia, em uma estrela, em um planeta, o meu, a Terra, um pequeno príncipe para consolar. Eu o tomei nos braços. Eu o embalei. Eu lhe disse: "A flor que você ama não está em perigo... vou desenhar uma focinheira para a sua ovelha... vou desenhar uma armadura para sua flor... eu..." Eu não sabia o que mais dizer. Eu me sentia totalmente sem jeito. Não sabia como chegar até ele, onde juntar-me a ele... É tão misterioso o país das lágrimas!

VIII

Eu aprendi bem rápido a conhecer melhor essa flor. Sempre tinha havido, no planeta do pequeno príncipe, flores bem simples, ornadas com uma só fileira de pétalas, que não tomavam muito espaço e não incomodavam a ninguém. Elas apareciam numa manhã em meio à relva e se extinguiam ao anoitecer. Mas aquela flor havia germinado um dia, de uma semente vinda de não se sabe onde, e o pequeno príncipe havia observado bem de perto esse raminho que não se parecia com os outros raminhos. Poderia ser uma outra espécie de baobá. Mas o arbusto cessou rapidamente de crescer e começou a preparar uma flor. O pequeno príncipe, que assistia à formação de um enorme botão, percebeu que dali sairia uma aparição milagrosa, mas a flor não parava de se preparar para ser bela no abrigo de sua morada verde. Ela escolhia com cuidado as suas cores. Ela se vestia lentamente, ajustava suas pétalas uma a uma. Ela não queria sair toda enrugada como as papoulas. Ela não queria aparecer antes do raiar completo de sua beleza. Ah, sim, ela era vaidosa! Sua misteriosa toalete havia demorado dias e mais dias. E então eis que, uma manhã, justamente na hora do raiar do sol, ela se mostrou.

E ela, que havia trabalhado com tanta precisão, disse, bocejando:

– Ah! eu acabo de acordar, queira desculpar-me... ainda estou toda descabelada...

Mas o pequeno príncipe não pôde conter sua admiração:

– Como você é bela!

– Sou mesmo, não? Respondeu docemente a flor. E eu nasci ao mesmo tempo que o sol...

O pequeno príncipe percebeu que ela não era muito modesta, mas ela era tão cativante!

– Eu acho que está na hora do café da manhã, acrescentou ela. – Você teria a bondade de cuidar disso...?

E o pequeno príncipe, todo confuso, tendo ido buscar um regador, serviu-lhe água fresca.

Assim, a vaidade um tanto esquisita dela logo começou a incomodá-lo. Um dia, por exemplo, falando de seus quatro espinhos, ela disse ao pequeno príncipe:

– Os tigres podem vir com suas garras!

– Não tem tigres no meu planeta, objetou o pequeno príncipe, e, além disso, os tigres não comem ervas.

– Eu não sou uma erva, respondeu docemente a flor.

– Desculpe...

– Eu não tenho medo dos tigres, mas tenho horror das correntes de ar. Você não teria um para-vento para mim?

"Horror de correntes de ar... isso não faz nenhum sentido para uma planta, pensou o pequeno príncipe. Essa flor é mesmo bem complicada..."

– À noite você me coloca dentro de um globo. Faz muito frio aqui. Estou mal-instalada. Lá de onde eu venho...

Ela parou então de falar. Ela tinha vindo na forma de semente. Não tinha como conhecer os outros mundos. Com vergonha por se deixar surpreender inventando uma mentira tão inocente, ela tossiu duas ou três vezes para disfarçar:

– E o para-vento...?

– Eu estava indo pegar, mas você ainda estava falando!

Então ela forçou ainda mais a tosse para fazê-lo se sentir culpado.

E assim o pequeno príncipe, apesar da boa vontade de seu amor, rapidamente começou a desconfiar dela. Ele tinha levado a sério palavras sem importância, e por isso ficou bastante infeliz.

"Eu não devia ter-lhe dado ouvidos, confiou-me um dia, não se deve jamais dar ouvido às flores. Deve-se apenas olhá-las e sentir seu perfume. A minha perfumava todo meu planeta, mas eu não sabia como me alegrar. Essa história de garras, que me aborreceu tanto, deveria ter-me enternecido..."

E confidenciou ainda mais:

"Eu não soube compreender nada! Eu deveria tê-la julgado pelos atos, e não pelas palavras. Ela me perfumava e me iluminava. Eu nunca deveria ter fugido dela.

Eu deveria ter percebido toda a ternura por trás de seus joguinhos. As flores são tão contraditórias! Mas eu era muito jovem para saber como amá-la."

IX

Eu creio que ele aproveitou, para sua fuga, uma migração de pássaros selvagens. Na manhã de sua partida, ele colocou seu planeta em ordem. Ele limpou com cuidado as chaminés de seus vulcões em atividade. Ele tinha dois vulcões em atividade. E eles eram bem cômodos para aquecer o café da manhã. Ele tinha também um vulcão extinto. Mas, como ele dizia: "Nunca se sabe!" Ele limpava também a chaminé do vulcão extinto. Se eles são bem limpos, os vulcões queimam devagar e regularmente, sem erupções. As erupções vulcânicas são como os fogos das chaminés. Evidentemente, em nossa terra, somos muito pequenos para limpar os nossos vulcões. É por isso que eles nos causam tantos danos.

O pequeno príncipe também arrancou, um pouco melancólico, os últimos brotos de baobás. Ele achava que nunca ia ter que voltar. Mas todos esses trabalhos familiares lhe pareceram, naquela manhã, extremamente preciosos. E quando ele regou a flor pela última vez, e se preparava para protegê-la com seu globo, teve pela primeira vez vontade de chorar.

– Adeus, disse à flor.

Mas ela não lhe respondeu.

– Adeus, repetiu.

A flor tossiu. Mas não por causa de seu resfriado.

– Eu fui tola, disse ela enfim. Eu lhe peço perdão. Trate de ser feliz.

Ele limpava com cuidado a chaminé de seus vulcões em atividade.

Ele se surpreendeu com a ausência de reprovação. Ficou ali, todo desconcertado, globo no ar. Não compreendia essa doçura calma.

– Mas sim, eu te amo, disse a flor. Você não tinha como saber, e a culpa é minha. Não tem importância. Mas você foi tão tolo quanto eu. Trate de ser feliz... deixe esse globo pra lá. Eu não o quero mais.

– Mas o vento...

– Meu resfriado não está assim tão ruim... o ar fresco da noite me fará bem. Eu sou uma flor.

– Mas as feras...

– É preciso que eu suporte duas ou três lagartas se eu quiser ver as borboletas. Parece que elas são muito belas. Se não, quem vai me visitar? Você vai estar longe. Quanto às feras grandes, não tenho medo. Eu tenho as minhas garras.

E ela mostrava, inocente, seus quatro espinhos. E acrescentou:

– Não demore assim, que é irritante. Você decidiu partir. Vá.

Pois ela não queria que ele a visse chorar. Ela era uma flor tão orgulhosa...

X

Ele se encontrava na região dos asteroides 325, 326, 327, 328, 329 e 330. Ele começou por visitá-los para procurar uma ocupação e se instruir.

O primeiro era habitado por um rei. O rei estava sentado, vestido em púrpura e arminho, em um trono bem simples, ainda que majestoso.

– Ah, um súdito! exclamou o rei quando percebeu a chegada do pequeno príncipe.

E o pequeno príncipe se perguntou:

– Como pode ele me reconhecer se ele nunca me viu?

Ele não sabia que, para os reis, o mundo é bastante simplificado. Todos os homens são súditos.

– Aproxime-se para que eu o veja melhor, disse-lhe o rei, que estava orgulhoso de finalmente ser rei para alguém.

O pequeno príncipe buscou com os olhos um lugar para se sentar, mas o planeta estava todo coberto com o magnífico manto de arminho. Ficou então em pé, e, como estava cansado, bocejou.

– É contra a etiqueta bocejar na presença de um rei, disse o monarca. Eu o proíbo.

– Não posso evitar, respondeu o pequeno príncipe, confuso. Fiz uma longa viagem e não pude dormir...

– Então, disse o rei, eu ordeno que você boceje. Há anos não vejo ninguém bocejar. Os bocejos são curiosos para mim. Vamos! Boceje novamente! É uma ordem.

– Isso me intimida... não consigo mais... disse o pequeno príncipe, corando.

– Hum! Hum! respondeu o rei. Então eu... eu lhe ordeno que você ora boceje e que ora...

O rei gaguejou um pouco e pareceu contrariado.

Pois o rei exigia principalmente que sua autoridade fosse respeitada. Não tolerava desobediência. Ele era um monarca absoluto. Mas, como era muito bondoso, dava ordens razoáveis.

"Se eu ordenasse, dizia ele, por exemplo, se eu ordenasse a um general transformar-se em uma ave marinha, e se o general não obedecesse, não seria culpa do general. A culpa seria minha."

– Posso me sentar?, perguntou timidamente o pequeno príncipe.

– Eu ordeno que você se sente, respondeu o rei, que puxou majestosamente uma dobra de seu manto de arminho.

Mas o pequeno príncipe se espantou. O planeta era minúsculo. Sobre o que poderia o rei reinar?

– Senhor, disse ele... eu lhe peço licença de interrogá-lo....

– Eu lhe ordeno que me interrogue, apressou-se a responder o rei.

– Senhor... sobre o que o senhor reina?

– Sobre tudo, respondeu o rei, com grande naturalidade.

– Sobre tudo?

O rei, com um gesto discreto, apontou o seu planeta, os outros planetas e as estrelas.

– Sobre tudo isso?, disse o pequeno príncipe.

– Sobre tudo isso..., respondeu o rei.

Pois ele não era apenas um monarca absoluto, mas também um monarca universal.

– E as estrelas lhe obedecem?

– Certamente, disse-lhe o rei. Elas obedecem prontamente. Eu não tolero indisciplina.

Tal poder maravilhou o pequeno príncipe. Se tivesse esse poder, ele poderia assistir ao pôr do sol não somente quarenta e quatro vezes, mas até setenta e duas, ou cem vezes, ou até duzentas no mesmo dia, sem jamais mover sua cadeira! E como ele se sentia um pouco triste pela lembrança de seu pequeno planeta abandonado, arrumou coragem para solicitar uma graça ao rei:

– Eu gostaria de ver um pôr do sol... Dê-me esse prazer... ordene ao sol que se ponha...

– Se eu ordenasse a um general que voasse de uma flor a outra como uma borboleta, ou que escrevesse uma tragédia, ou que se transformasse em uma ave marinha, e se o general não executasse a ordem recebida, quem, eu ou ele, estaria errado?

– O senhor, disse com firmeza o pequeno príncipe.

– Exato. Deve-se exigir de cada um o que cada um pode oferecer, disse o rei. A autoridade repousa sobre a razão. Se você ordena a seu povo que ele se lance no mar, ele fará uma revolução. Eu tenho o direito de exigir obediência porque as minhas ordens são razoáveis.

– Então meu pôr do sol?, retomou o pequeno príncipe, que nunca esquecia uma pergunta que tivesse feito.

– Seu pôr do sol, você o terá. Eu o exigirei. Mas esperarei, de acordo com a minha razão de governar, que as condições sejam favoráveis.

– E quando será isso?, informou-se o pequeno príncipe.

– Hum! Hum! Respondeu o rei, que consultava então um grande calendário, hum, hum, será perto de... perto de... será esta noite perto das sete e quarenta! E você verá como sou bem obedecido.

O pequeno príncipe bocejou. Ele sentia pelo seu pôr do sol não obtido. E, além disso, ele já estava ficando um pouco entediado:

– Não tenho mais nada a fazer aqui, disse ao rei. Devo partir!

– Não se vá, respondeu o rei, que estava tão contente por ter um súdito. Não se vá, eu farei de você um ministro!

– Ministro de quê?

– Da... da justiça!

– Mas não tem ninguém aqui para julgar!

– Nunca se sabe, disse-lhe o rei. Eu ainda não visitei todo o meu reino. Sou muito velho, e não há lugar para minha carruagem, e eu me canso ao andar.

– Ah! Mas eu já vi, disse o pequeno príncipe, que se inclinou um pouco para lançar um olhar ao outro lado do planeta. Não tem ninguém ali embaixo também...

– Você julgará a si mesmo, respondeu o rei. É o mais difícil. É bem mais difícil julgar a si mesmo que julgar os outros. Se você conseguir julgar bem a si mesmo, é porque você é um verdadeiro sábio.

– Mas eu posso me julgar em qualquer lugar, disse o pequeno príncipe. Eu não preciso viver aqui.

– Hum! Hum!, disse o rei, eu creio que em alguma parte do meu planeta mora uma velha ratazana. Eu a escuto durante a noite. Você poderá julgar essa ratazana. Você a condenará à morte de tempos em tempos. Assim, a vida dela dependerá de sua justiça. Mas a cada vez você a poupará para mantê-la aqui, pois só há uma.

– Eu não gosto de condenar à morte, respondeu o pequeno príncipe, e acho que vou mesmo partir.

– Não, disse o rei.

Mas o pequeno príncipe, tendo terminado seus preparativos, não queria mais fazer sofrer o velho monarca:

– Se Vossa Majestade desejar ser obedecida pontualmente, poderia me dar uma ordem razoável. Poderia me ordenar, por exemplo, que eu parta em um minuto. As condições me parecem favoráveis...

Não tendo o rei respondido, o pequeno príncipe hesitou um pouco e, depois, com um suspiro, partiu.

– Eu o faço meu embaixador, apressou-se em exclamar o rei.

Ele tinha um grande ar de autoridade.

"As pessoas grandes são bem estranhas", disse para si mesmo o pequeno príncipe, durante sua viagem.

XI

O segundo planeta era habitado por um vaidoso:

– Ah! Temos a visita de um admirador!, exclamou de longe o vaidoso assim que avistou o pequeno príncipe.

Pois, para os vaidosos, todos os outros são admiradores.

– Bom dia, disse o pequeno príncipe. Você tem um chapéu engraçado.

– É para saudações, respondeu o vaidoso. – É para fazer saudação quando as pessoas me aclamam. Infelizmente nunca passa ninguém por aqui.

– É mesmo?, disse o pequeno príncipe, sem compreender.

– Bata suas mãos uma contra a outra, aconselhou então o vaidoso.

O pequeno príncipe bateu suas mãos uma contra a outra. O vaidoso saudou modestamente, levantando seu chapéu.

"Isso é mais divertido que a visita ao rei", disse para si mesmo o pequeno príncipe. E continuou a bater suas mãos uma contra a outra. O vaidoso recomeçou a fazer saudações levantando seu chapéu.

Depois de cinco minutos de exercícios, o pequeno príncipe cansou-se da monotonia desse jogo:

– E para que você derrube o chapéu, perguntou ele, o que eu devo fazer?

Mas o vaidoso não ouviu. Os vaidosos ouvem apenas os elogios.

– Você realmente me admira bastante?, perguntou ao pequeno príncipe.

– O que significa "admirar"?

– "Admirar" significa "reconhecer que eu sou o homem mais belo, melhor vestido, o mais rico e o mais inteligente do planeta".

– Mas você é o único no planeta!

– Dê-me esse prazer. Admire-me assim mesmo!

– Eu o admiro, disse o pequeno príncipe, dando de ombros ligeiramente. Mas em que isso pode lhe interessar?

E o pequeno príncipe se foi.

"As pessoas grandes são decididamente bem bizarras", disse simplesmente para si mesmo durante sua viagem.

XII

O planeta seguinte era habitado por um beberrão. Essa visita foi bem curta, mas ela mergulhou o pequeno príncipe em uma grande melancolia:

– O que você faz aí?, disse ele ao beberrão, que encontrou instalado em silêncio diante de uma coleção de garrafas vazias e uma coleção de garrafas cheias.

— Eu bebo, respondeu o beberrão, com um ar lúgubre.

— E por que você bebe?, perguntou-lhe o pequeno príncipe.

— Para esquecer, respondeu o beberrão.

— Para esquecer o quê?, inquiriu o pequeno príncipe, que já se apiedava dele.

— Para esquecer que tenho vergonha, confessou o beberrão, baixando a cabeça.

– Vergonha de quê?, demandou o pequeno príncipe, que queria socorrê-lo.

– Vergonha de beber!, completou o beberrão, que se fechou definitivamente em seu silêncio.

E o pequeno príncipe se foi, perplexo.

"As pessoas grandes são decididamente bem, bem bizarras", dizia a si mesmo durante a viagem.

XIII

O quarto planeta era o de um homem de negócios. Esse homem estava tão ocupado que nem mesmo levantou a cabeça quando o pequeno príncipe chegou.

– Bom dia, disse-lhe este. Seu cigarro está apagado.

– Três mais dois são cinco. Cinco mais sete, doze. Doze mais três, quinze. Bom dia. Quinze com sete, vinte e dois. Vinte e dois mais seis, vinte e oito. Sem tempo de acender. Vinte e seis e cinco, trinta e um. Ufa! Isso dá, portanto, quinhentos e um milhões, seiscentos e vinte e dois mil, setecentos e trinta e um.

– Quinhentos milhões de quê?

– Hein? Você ainda está aí? Quinhentos e um milhões de... não sei mais... tenho tanto trabalho! Eu sou sério, não me divirto com banalidades! Dois mais cinco, sete...

– Quinhentos e um milhões de quê?, repetiu o pequeno príncipe, que nunca em sua vida havia renunciado a uma pergunta, uma vez feita.

O homem de negócios levantou a cabeça:

– Em cinquenta e quatro anos que habito nesse planeta, só fui perturbado três vezes. A primeira vez foi há vinte e dois anos, por um besouro que caiu Deus sabe de onde. Ele fazia um barulho insuportável, e eu cometi quatro erros em minhas contas. A segunda vez foi há onze anos, por uma crise de reumatismo. Eu não faço muito exercício. Não tenho tempo de passear. Eu sou sério. A terceira vez... aí está! Como eu dizia, portanto, quinhentos e um milhões...

– Milhões de quê?

O homem de negócios compreendeu que não havia a menor esperança de paz:

– Milhões dessas coisinhas que a gente vê de vez em quando no céu.

– Moscas?

– Não, essas coisinhas que brilham.

– Abelhas?

– Não. Essas coisinhas douradas que dão devaneios aos desocupados preguiçosos. Mas eu sou sério! Não tenho tempo para devaneios.

– Ah! As estrelas?

– Isso mesmo. As estrelas.

– E o que você faz com quinhentos milhões de estrelas?

– Quinhentos e um milhões, cento e vinte e dois mil, cento e trinta e uma. Sou sério, sou preciso.

– E o que você faz com essas estrelas?

– O que eu faço com elas?

– Sim.

– Nada. Eu as possuo.

– Você possui as estrelas?

– Sim.

– Mas eu vi um rei que...

– Os reis não possuem. Eles "reinam" sobre. É bem diferente.

– E de que lhe serve possuir as estrelas?

– Me serve para ser rico.

– E de que serve ser rico?

– Para comprar outras estrelas, se alguém as encontrar.

"Esse aí, disse a si mesmo o pequeno príncipe, raciocina um pouco como aquele ébrio."

Contudo, ele continuou a perguntar:

– E como pode alguém possuir estrelas?

– E elas são de quem?, retorquiu irritado o homem de negócios.

– Não sei. De ninguém.

– Então elas são minhas, pois eu pensei nisso primeiro.

– E isso basta?

– Certamente. Quando você encontra um diamante que não é de ninguém, ele é seu. Quando você encontra uma ilha que não é de ninguém, ela é sua. Quando você tem uma ideia primeiro, você a patenteia: e ela é sua. E eu possuo as estrelas, pois ninguém jamais antes de mim resolveu possuí-las.

– Isso é verdade, disse o pequeno príncipe. E você faz o que com elas?

– Eu as gerencio. Eu as conto e reconto, disse o homem de negócios. É difícil. Mas eu sou um homem sério!

O pequeno príncipe ainda não estava satisfeito.

– Eu, se eu possuo um lenço, posso colocá-lo ao redor do meu pescoço e levá-lo embora. Eu, se eu possuo uma flor, posso colhê-la e levá-la embora. Mas você não pode colher as estrelas!

– Não, mas posso colocá-las no banco.

– O que isso quer dizer?

– Quer dizer que eu escrevo num pedaço de papel a quantidade das minhas estrelas. E depois eu tranco com chave esse papel numa gaveta.

– E isso é tudo?

– Isso basta!

"Isso é engraçado, pensou o pequeno príncipe. É bastante poético. Mas não é muito sério."

O pequeno príncipe tinha sobre as coisas sérias ideias bem diferentes do que as das pessoas grandes.

– Eu, disse ele, possuo uma flor que rego todos os dias. Possuo três vulcões que eu limpo toda semana. Eu limpo também o que está extinto. Nunca se sabe. É útil para os meus vulcões, é útil para a minha flor, que eu os possua. Mas você não é útil para as estrelas...

O homem de negócios abriu a boca, mas não encontrou nada para responder, e o pequeno príncipe se foi.

"As pessoas grandes são de verdade totalmente extraordinárias", dizia ele simplesmente consigo mesmo durante a viagem.

XIV

O quinto planeta era bem curioso. Era o menor de todos. Só tinha espaço lá para um candeeiro e para um acendedor de candeeiro. O pequeno príncipe não conseguia entender para que poderia servir, em um pontinho perdido no imenso céu, em um planeta sem casa nem população, um candeeiro e um acendedor de candeeiro. Contudo, ele disse a si mesmo:

"Pode até ser que esse homem seja absurdo. No entanto, ele é menos absurdo que o rei, que o vaidoso, que o homem de negócios e que o beberrão. Pelo menos seu trabalho tem um sentido. Quando ele acende seu candeeiro, é como se ele fizesse nascer uma estrela a mais, ou uma flor. Quando ele apaga seu candeeiro, dorme a flor ou a estrela. É uma ocupação bastante bela. É útil de verdade, pois é belo."

Quando chegou ao planeta, ele saudou com respeito o acendedor:

– Bom dia. Por que você acabou de apagar o seu candeeiro?

– São as ordens, respondeu o acendedor. Bom dia.

– Que ordens são essas?

– Ordens de apagar meu candeeiro. Boa noite.

E ele o reacendeu.

– Mas por que você acabou de acendê-lo?

– São as ordens, respondeu o acendedor.

– Eu não compreendo, disse o pequeno príncipe.

– Não há o que compreender, disse o acendedor. Uma ordem é uma ordem. Bom dia.

E apagou seu candeeiro.

E limpou a testa com um lenço xadrez vermelho.

– O que eu faço é um trabalho terrível. Já foi razoável antes. Eu apagava de manhã e acendia à noite. Tinha o resto do dia para descansar, e o resto da noite para dormir...

– E, desde então, as ordens mudaram?

– As ordens não mudaram, disse o acendedor. Aí que está o drama! O planeta, de ano em ano, começou a girar cada vez mais rápido, e as ordens não mudaram!

– E então?, disse o pequeno príncipe.

– Então que agora ele faz uma volta por minuto, e eu não tenho um segundo de descanso. Eu acendo e apago uma vez por minuto!

– Isso é engraçado! Os dias aqui duram um minuto!

– Não é nada engraçado, disse o acendedor. Já faz um mês que estamos conversando aqui.

– Um mês?

O que eu faço é um trabalho terrível.

– Sim. Trinta minutos. Trinta dias! Boa noite.

E ele acendeu seu candeeiro

O pequeno príncipe o observou e gostou muito desse acendedor, tão fiel às suas ordens. Ele se lembrava do pôr do sol que ele mesmo buscava outrora, movendo sua cadeira. Ele quis ajudar seu amigo:

– Sabe... eu sei um jeito para você descansar quando você quiser...

– Eu sempre quero, disse o acendedor.

Pois podemos ser, ao mesmo tempo, fiéis e preguiçosos.

O pequeno príncipe prosseguiu:

– Seu planeta é tão pequeno que você pode andar em volta em três pernadas. Basta andar bem devagar para estar sempre no sol. Quando você quiser descansar, você anda... e o dia vai durar quanto você quiser.

– Isso não me adianta muito, disse o acendedor. O que eu mais amo na vida é dormir.

– Então não tem jeito, disse o pequeno príncipe.

– Não tem jeito, disse o acendedor. Bom dia.

E apagou o candeeiro.

"Esse aí, disse a si mesmo o pequeno príncipe, enquanto dava continuidade à sua viagem, esse aí seria menosprezado por todos os outros, pelo rei, pelo vaidoso, pelo beberrão, pelo homem de negócios. No entanto, ele é o único que não me parece ridículo. Talvez seja porque ele se ocupa de outra coisa que não ele mesmo."

Ele suspirou com pesar e disse a si mesmo:

"Esse aí é o único que eu poderia tornar meu amigo. Mas seu planeta é tão pequeno. Não tem lugar para dois..."

O que o pequeno príncipe não tinha coragem de admitir é que seu pesar quanto a esse planeta bendito tinha mais a ver com as mil e quatrocentas e quarenta vezes que veria o pôr do sol em vinte e quatro horas!

XV

O sexto planeta era um planeta dez vezes maior. Ele era habitado por um velho senhor que escrevia livros enormes.

– Veja lá! Um explorador! Exclamou ele, quando avistou o pequeno príncipe.

O pequeno príncipe sentou-se na mesa e retomou o fôlego. Ele tinha viajado tanto!

– De onde você vem?, perguntou-lhe o velho senhor.

– O que é esse grande livro?, perguntou o pequeno príncipe. O que você faz aqui?

– Eu sou um geógrafo, disse o velho senhor.

– O que é um geógrafo?

– É um sábio que sabe onde ficam os mares, os rios, as cidades, as montanhas e os desertos.

– Isso é bem interessante, disse o pequeno príncipe. Essa é, enfim, uma ocupação de verdade!

E lançou um olhar ao redor de si sobre o planeta do geógrafo. Ele nunca tinha visto um planeta tão majestoso.

– Seu planeta é bastante belo. Ele tem oceanos?

– Eu não posso saber, disse o geógrafo.

– Ah! O pequeno príncipe estava decepcionado. E montanhas?

– Eu não posso saber, disse o geógrafo.

– E cidades, rios e desertos?

– Também não posso saber, disse o geógrafo.

– Mas você é geógrafo!

– Exato, disse o geógrafo, mas não sou explorador. Eu preciso exatamente de exploradores aqui. Não é o geógrafo que vai contar as cidades, os rios, as montanhas, os mares, os oceanos e os desertos. O geógrafo é importante demais para sair por aí. Ele não abandona seu gabinete. Mas ele recebe os exploradores. Ele os interroga e toma notas de suas lembranças. E se as lembranças de algum deles lhe parecem interessantes, o geógrafo faz um estudo sobre a moralidade do explorador.

– Por que isso?

– Porque um explorador que mentisse causaria catástrofes nos livros de geografia. E também um explorador que bebesse muito.

– Por que isso?, perguntou o pequeno príncipe.

– Porque os ébrios enxergam em dobro. Então o geógrafo anotaria duas montanhas onde haveria apenas uma.

– Eu conheço alguém que seria um mau explorador.

– É possível. Então, quando a moralidade do explorador parece boa, fazemos um trabalho sobre a sua descoberta.

– Vai-se lá ver?

– Não. É muito complicado. Mas exigimos do explorador que ele forneça provas. Se se trata, por exemplo, da descoberta de uma grande montanha, exigimos que ele apresente grandes rochas.

De repente, o geógrafo se entusiasmou:

– Mas você vem de longe! Você é explorador! Você vai me descrever o seu planeta!

E o geógrafo, abrindo seus registros, apontou seu lápis. Anotam-se a lápis os relatos dos exploradores. Espera-se, para registrar com tinta, que o explorador forneça provas.

– Então?, interrogou o geógrafo.

– Oh! O meu planeta, disse o pequeno príncipe, não é muito interessante, ele é muito pequeno. Tenho três vulcões. Dois vulcões em atividade e um vulcão extinto. Mas nunca se sabe.

– Nunca se sabe, disse o geógrafo.

– Eu também tenho uma flor.

– Nós não registramos as flores, disse o geógrafo.

– Por que isso? É o mais bonito!

– Porque as flores são efêmeras.

– O que significa "efêmera"?

– As geografias, disse o geógrafo, são os livros mais preciosos de todos os livros. Eles nunca deixam de ser atuais. É muito raro que uma montanha mude de lugar. É muito raro que um oceano se esvazie de suas águas. Nós escrevemos as coisas eternas.

– Mas os vulcões extintos podem acordar, interrompeu o pequeno príncipe. O que significa "efêmera"?

– Que os vulcões sejam extintos ou ativos, dá na mesma para nós, disse o geógrafo. O que conta para nós são as montanhas. Elas não mudam.

– Mas o que significa "efêmera"?, repetiu o pequeno príncipe que, em sua vida, nunca tinha renunciado a uma pergunta, uma vez que a tivesse feito.

– Significa "que está ameaçada de desaparecer em breve".

– Minha flor está ameaçada de desaparecer em breve?

– Certamente.

"Minha flor é efêmera, disse a si mesmo o pequeno príncipe, e ela só tem quatro espinhos para se defender contra o mundo! E eu a deixei sozinha em meu planeta!"

Esse foi seu primeiro movimento de pesar. Mas ele retomou o ânimo:

– O que você me aconselha a visitar?

– O Planeta Terra, respondeu o geógrafo. Ele tem uma boa reputação...

E o pequeno príncipe se foi, pensando em sua flor.

XVI

O sétimo planeta foi, portanto, a Terra.

A Terra não é um planeta qualquer! Contam-se, aí, cento e onze reis (sem nos esquecermos, é claro, dos reis negros), sete mil geógrafos, novecentos mil homens de negócios, sete milhões e meio de ébrios, trezentos e onze milhões de vaidosos, ou seja, dois bilhões de pessoas grandes.

Para lhes dar uma ideia das dimensões da Terra, eu lhes direi que, antes da invenção da eletricidade, era preciso manter, no conjunto de seis continentes, um verdadeiro exército de quatrocentos e sessenta e dois mil, quinhentos e onze acendedores de candeeiros.

Visto um pouco de longe, isso causava um efeito esplêndido. Os movimentos desse exército eram regidos como os de um balé de ópera. Primeiro vinha o movimento dos acendedores de candeeiros da Nova Zelândia e da Austrália. Depois esses, tendo acendido seus lampiões, iam dormir.

Então tomavam seu lugar na dança os acendedores de candeeiros da China e da Sibéria. Então também esses desapareciam para dentro de suas casas. Então vinha o grupo dos acendedores de candeeiros da Rússia e das Índias. Depois os da África e da Europa. E depois os da América do Sul. E os da América do Norte. E eles nunca se enganavam em sua ordem de entrada em cena. Era grandioso.

Sozinhos, o acendedor do único candeeiro do Polo Norte, e seu colega do único candeeiro do Polo Sul, levavam uma vida de ociosidade e despreocupação: eles trabalhavam duas vezes por ano.

XVII

Quando queremos ser sagazes, acontece de mentirmos um pouco. Eu não fui muito honesto ao falar dos acendedores de candeeiros. Talvez eu tenha dado uma ideia falsa do nosso planeta para aqueles que não o conhecem. Os homens ocupam bem pouco espaço sobre a Terra. Se os dois bilhões de habitantes que povoam a Terra ficassem em pé e um pouco apertados, como fazem quando estão em uma multidão, eles ocupariam tranquilamente uma praça pública de uns trinta quilômetros de comprimento por uns trinta quilômetros de largura. Poderíamos amontoar a humanidade sobre a menor ilhota do Pacífico.

As pessoas grandes certamente não acreditarão em você. Elas imaginam que ocupam muito espaço. Elas se acham importantes como os baobás. Você pode aconselhá-las, nesse caso, a fazer o cálculo. Elas adoram os números: isso lhes agradará. Mas não perca seu tempo com esse pensamento. É inútil. Você pode confiar em mim.

– Você é um animal engraçado, disse ele enfim, fino como um dedo...

O pequeno príncipe, uma vez sobre a Terra, ficou bem surpreso ao não ver ninguém. Ele já temia ter se enganado de planeta, quando um anel da cor da lua se moveu sobre a areia.

– Boa noite, disse o pequeno príncipe, em todo caso.

– Boa noite, disse a serpente.

– Em qual planeta eu caí?, perguntou o pequeno príncipe.

– Na Terra, na África, respondeu a serpente.

– Ah!... E não tem ninguém na Terra?

– Aqui é o deserto. Não tem ninguém no deserto. A Terra é grande, disse a serpente.

O pequeno príncipe sentou-se sobre uma pedra e levantou os olhos para o céu:

– Eu me pergunto, disse ele, se as estrelas brilham para que cada um possa um dia encontrar a sua. Veja o meu planeta. Ele está logo acima de nós... Mas como está longe!

– Ele é belo, disse a serpente. O que você veio fazer aqui?

– Estou com dificuldades com uma flor, disse o pequeno príncipe.

– Ah, disse a serpente.

E eles se calaram.

– Onde estão os homens?, retomou enfim o pequeno príncipe. É um pouco solitário no deserto...

– É solitário também junto aos homens, disse a serpente.

O pequeno príncipe a observou um longo tempo:

– Você é um animal engraçado, disse ele enfim, fino como um dedo...

– Mas eu sou mais poderosa que o dedo de um rei, disse a serpente.

O pequeno príncipe esboçou um sorriso:

– Você não é muito poderosa... você sequer tem patas... você não pode viajar...

– Eu posso carregar você mais longe que um navio, disse a serpente.

Ela se enrolou no tornozelo do pequeno príncipe, como um bracelete de ouro:

– Aquele que eu toco eu levo de volta à terra de onde saiu, disse ela. Mas você é puro e você vem de uma estrela...

O pequeno príncipe não respondeu nada.

– Você me dá pena, assim tão frágil, sobre essa Terra de granito. Eu posso ajudá-lo, um dia, se você sentir muita falta de seu planeta. Eu posso...

– Oh! Eu entendi bem, disse o pequeno príncipe, mas por que você sempre fala por enigmas?

– Eu os resolvo todos, disse a serpente.

E eles se calaram.

XVIII

O pequeno príncipe atravessou o deserto e encontrou apenas uma flor. Uma flor de três pétalas, uma florzinha de nada...

– Bom dia, disse o pequeno príncipe.

– Bom dia, disse a flor.

– Onde estão os homens?, perguntou educadamente o pequeno príncipe.

A flor, um dia, tinha visto passar uma caravana:

– Os homens? Acho que existem uns seis ou sete. Eu os avistei já faz uns anos. Mas não se sabe jamais onde os encontrar. O vento os leva. Eles não têm raízes, e isso lhes causa muitos problemas.

– Adeus, disse o pequeno príncipe.

– Adeus, disse a flor.

XIX

O pequeno príncipe escalou uma alta montanha. As únicas montanhas que ele já tinha visto eram seus três vulcões, que chegavam no seu joelho. E ele usava o vulcão extinto como mesinha. "De uma montanha alta assim, disse a si mesmo, eu observarei de uma só vez todo o planeta e todos os homens..." Mas ele não conseguiu observar nada além de agulhas rochosa bem-afiadas.

– Bom dia, disse ele, de todo modo.

– Bom dia... bom dia... bom dia..., respondeu o eco.

– Quem são vocês?, perguntou o pequeno príncipe?

– Quem são vocês... Quem são vocês... Quem são vocês..., respondeu o eco.

– Venham ser meus amigos, estou só, disse ele.

– Estou só... Estou só... Estou só..., respondeu o eco.

"Que planeta engraçado!, pensou ele. Ele é todo seco, todo pontudo e todo salgado. E os homens não têm imaginação. Eles só repetem o que lhes dizemos... Lá em casa eu tinha uma flor, que sempre falava primeiro..."

XX

Mas ocorreu que o pequeno príncipe, tendo andado muito tempo através das areias, das pedras e das neves, encontrou finalmente um caminho. E os caminhos sempre levam aos homens.

– Bom dia, disse ele.

Era um jardim florido de rosas.

– Bom dia, disseram as rosas.

O pequeno príncipe olhava para elas. Elas se pareciam todas com a sua flor.

– Quem são vocês?, perguntou ele, estupefato.

– Nós somos rosas, disseram as rosas.

– Ah!, disse o pequeno príncipe.

E ele se sentiu bastante infeliz. Sua flor lhe havia dito que era a única de sua espécie no universo. E eis que havia aqui umas cinco mil, todas parecidas, em um só jardim!

Esse planeta é todo seco, todo pontudo e todo salgado.

"Ela ficaria muito sem graça se visse isso, disse a si mesmo... ela iria tossir bastante e fingiria estar morrendo para escapar do ridículo. E eu precisaria fingir cuidar dela, pois, senão, para me humilhar também, ela se deixaria morrer de verdade..."

E depois ele disse a si mesmo mais uma vez: "Eu acreditava que era rico por ter uma flor única, e o que eu possuo é só uma rosa ordinária. Isso e meus três vulcões que chegam ao meu joelho, e dos quais um esteja talvez extinto para sempre. Isso não faz de mim lá um grande príncipe..." E, deitado na relva, chorou.

XXI

Foi aí que apareceu a raposa.

– Bom dia, disse a raposa.

– Bom dia, respondeu educadamente o pequeno príncipe, que se virou mas não viu ninguém.

– Estou aqui, disse a voz, sob a macieira.

– Quem é você?, disse o pequeno príncipe. Você é bem bonita...

– Eu sou uma raposa, disse a raposa.

– Venha brincar comigo, propôs o pequeno príncipe. Estou tão triste...

– Eu não posso brincar com você, disse a raposa. Eu não sou domesticada.

– Ah!, perdão, disse o pequeno príncipe.

Mas, após refletir, acrescentou.

– O que significa "domesticar"?

– Você não é daqui, disse a raposa. O que você procura?

– Eu procuro os homens, disse o pequeno príncipe. O que significa "domesticar"?

– Os homens, disse a raposa, eles têm fuzis, e eles caçam. É muito desagradável! Eles também criam galinhas. É a única coisa interessante deles. Você procura galinhas?

– Não, disse o pequeno príncipe. Eu procuro amigos. O que significa "domesticar"?

– É uma coisa bastante esquecida, disse a raposa. Significa "cativar, criar laços..."

– Criar laços?

– Certamente, disse a raposa. Para mim, você ainda não passa de um garoto parecido com cem mil outros garotos. E eu não preciso de você. E você também não precisa de mim. Eu não sou nada para você além de uma raposa parecida com cem mil outras raposas. Mas, se você me cativar, precisaremos um do outro. Você será para mim único no mundo. Eu serei para você única no mundo...

– Estou começando a entender, disse o pequeno príncipe. Tem uma flor... eu acho que ela me cativou...

– É possível, disse a raposa. Vê-se de tudo nesta Terra...

– Ah, mas não é aqui na Terra, disse o pequeno príncipe.

A raposa pareceu bastante intrigada:

– Em outro planeta?

– Sim.

– Tem caçadores nesse outro planeta?

– Não.

– Isso é interessante! E galinhas?

– Não.

– Nada é perfeito, suspirou a raposa.

Mas a raposa retomou sua ideia:

– Minha vida é monótona. Eu caço as galinhas, os homens me caçam. Todas as galinhas são parecidas, todos os homens são parecidos. Então isso me enjoa um pouco. Mas, se você me cativar, minha vida será ensolarada. Eu conhecerei um barulho de passos que será diferente de todos os outros. Os outros passos me levam a esconder-me sob a terra. Os seus me chamarão para fora, como uma música. E além disso, repare! Você está vendo, lá embaixo, os campos de trigo? Eu não como pão. O trigo, para mim, é inútil. Os campos de trigo não me dizem nada. E isso é triste! Mas você tem cabelos da cor do ouro. Então será maravilhoso quando você tiver me cativado! O trigo, que é dourado, fará me lembrar de você. E eu amarei o barulho do vento nos campos de trigo...

A raposa se calou e fitou por um longo tempo o pequeno príncipe:

– Por favor, cative-me!, disse ela.

– Eu gostaria muito, respondeu o pequeno príncipe, mas eu não tenho muito tempo. Tenho amigos para descobrir e muitas coisas para conhecer.

– Só se conhece as coisas que se cativa, disse a raposa. Os homens não têm mais tempo de conhecer nada. Eles compram as coisas prontas dos mercadores. Mas como não existem mercadores de amigos, os homens não têm mais amigos. Se você quer um amigo, me domestique!

– O que preciso fazer?, disse o pequeno príncipe.

– Você precisa ser paciente, respondeu a raposa. Você vai se sentar um pouco longe de mim, assim mesmo, sobre a relva. Eu

– *Se você vier, por exemplo, às quatro horas da tarde, desde as três horas eu começarei a ficar feliz.*

vou olhar com o canto do olho e você não dirá nada. A linguagem é fonte de mal-entendidos. Mas, a cada dia, você poderá se sentar um pouco mais perto...

No dia seguinte, o pequeno príncipe retornou.

– Seria melhor voltar à mesma hora, disse a raposa. Se você vier, por exemplo, às quatro horas da tarde, desde as três horas eu começarei a ficar feliz. Quanto mais o tempo avançar, mais feliz eu ficarei. Às quatro horas, eu me agitarei e me inquietarei; eu descobrirei o valor da alegria! Mas se você vier a qualquer hora, eu nunca saberei a que horas preparar meu coração... é preciso haver ritos.

– O que é um rito?, disse o pequeno príncipe.

– Também é algo bastante esquecido, disse a raposa. É o que torna um dia diferente dos outros dias, uma hora das outras horas. Há um rito, por exemplo, entre os meus caçadores. Eles dançam às quintas-feiras com as moças do vilarejo. Então, a quinta-feira é um dia maravilhoso! Eu posso passear até os vinhedos. Se os caçadores dançassem em qualquer dia, todos os dias se pareceriam, e eu não teria mais férias.

Assim, o pequeno príncipe domesticou a raposa. E quando a hora da partida se aproximou:

– Ah!, disse a raposa... Eu vou chorar.

– A culpa é sua, disse o pequeno príncipe, eu não queria nada de mal para você, mas você quis que eu a cativasse...

– Verdade, disse a raposa.

– Mas você vai chorar!, disse o pequeno príncipe.

– Verdade, disse a raposa.

E, deitado na relva, chorou.

– Então você não ganha nada com isso!

– Eu ganho, disse a raposa, por causa da cor do trigo.

E então acrescentou:

– Vá rever as rosas. Você vai entender que a sua é única no mundo. Você vai voltar para me dizer adeus, e eu vou lhe dar um segredo de presente.

O pequeno príncipe foi rever as rosas:

– Vocês não se parecem em nada com a minha rosa, vocês não são nada ainda, disse ele. Ninguém as cativou e vocês não cativaram ninguém. Vocês são como era a minha raposa. Ela era só uma raposa parecida com cem mil outras. Mas nos tornamos amigos, e agora ela é única no mundo.

E as rosas ficaram bastante tristonhas.

– Vocês são belas, mas vocês são vazias, disse ele ainda. Não se pode morrer por vocês. Certamente, a minha rosa, um passante comum acreditaria que ela se parece com vocês. Mas ela sozinha é mais importante que todas vocês, pois foi ela que eu reguei. Pois foi ela que eu coloquei sob o globo. Pois foi ela que eu protegi com o para-vento. Pois foi por ela que eu matei as lagartas (salvo duas ou três por causa das borboletas). Pois foi ela que eu ouvi se queixar, ou se gabar, ou mesmo, às vezes, se calar. Pois é ela a minha rosa.

E ele retornou à raposa:

– Adeus, disse ele.

– Adeus, disse a raposa. E aqui está o meu segredo. É bem simples: só se enxerga bem com o coração. O essencial é invisível aos olhos.

– O essencial é invisível aos olhos, repetiu o pequeno príncipe, para se lembrar.

– É o tempo que você perdeu com sua rosa que a torna tão importante.

– É o tempo que perdi com minha rosa... disse o pequeno príncipe, para se lembrar.

– Os homens se esqueceram dessa verdade, disse a raposa. Mas você não deve se esquecer dela. Você se torna eternamente responsável pelo que você cativa. Você é responsável pela sua rosa...

– Sou responsável pela minha rosa... repetiu o pequeno príncipe, para se lembrar.

XXII

– Bom dia, disse o pequeno príncipe.

– Bom dia, disse o agulheiro.

– O que você faz aqui?, perguntou o pequeno príncipe.

– Eu separo os viajantes, aos milhares, disse o agulheiro. Eu libero os trens que os transportam, ora para a direita, ora para a esquerda.

E um trem expresso iluminado, rugindo como um trovão, fez tremer a cabine da agulhagem.

– Eles estão bem apressados, disse o pequeno príncipe. O que eles procuram?

– Nem mesmo o homem da locomotiva sabe, disse o agulheiro.

E ribombou, no sentido inverso, um segundo trem expresso iluminado.

– Eles já estão voltando?, perguntou o pequeno príncipe...

– Não são os mesmos, disse o agulheiro. É uma troca.

– Eles não estavam contentes lá onde eles estavam?

– Ninguém nunca está contente lá onde está, disse o agulheiro.

E trovejou um terceiro trem expresso iluminado.

– Esses aí estão perseguindo os primeiros viajantes?, perguntou o pequeno príncipe.

– Eles não estão perseguindo nada, disse o agulheiro. Eles dormem lá dentro, ou estão bocejando. Só as crianças amassam os narizes contra os vidros.

– Só as crianças sabem o que elas buscam, disse o pequeno príncipe. Elas perdem tempo com uma boneca de pano, e ela se torna muito importante para elas, e, se alguém lhes tira a boneca, elas choram...

– Elas é que têm sorte, disse o agulheiro.

XXIII

– Bom dia, disse o pequeno príncipe.
– Bom dia, disse o mercador.

Era um mercador de pílulas aperfeiçoadas para matar a sede. Você toma uma pílula por semana e não tem mais necessidade de beber.

– Por que você vende isso?, perguntou o pequeno príncipe.

– É uma grande economia de tempo, disse o mercador. Os especialistas fizeram os cálculos. Pode-se economizar cinquenta e três minutos por semana.

– E o que se faz com esses cinquenta e três minutos?

– Faz-se o que se quiser...

"Eu, disse a si mesmo o pequeno príncipe, se tivesse cinquenta e três minutos para gastar, caminharia bem devagar até uma fonte..."

XXIV

Nós estávamos no oitavo dia da minha pane no deserto e eu escutei a história do mercador enquanto bebia a última gota da minha provisão de água:

– Ah, disse eu ao pequeno príncipe, são bem bonitas as suas memórias, mas eu ainda não consertei meu avião, não tenho mais nada para beber, e eu também ficaria bastante contente se eu pudesse caminhar bem devagar até uma fonte!

– Minha amiga raposa, disse-me ele...

– Meu pequeno rapaz, não se trata mais de raposa!

– Por quê?

– Porque vamos morrer de sede...

Ele não compreendeu meu raciocínio, e me respondeu:

– É bom ter tido um amigo, mesmo se vamos morrer. Eu, de minha parte, estou bem feliz de ter tido uma amiga raposa...

"Ele não percebe o perigo, disse a mim mesmo. Ele nunca tem fome nem sede. Um pouco de sol lhe basta..."

Mas ele me observava e respondeu ao meu pensamento:

– Eu também tenho sede... vamos procurar um poço...

Fiz um gesto de cansaço: é absurdo procurar um poço, ao acaso, na imensidão do deserto. Entretanto, pusemo-nos a caminhar.

Enquanto caminhávamos por horas, em silêncio, a noite caiu, e as estrelas começaram a se iluminar. Eu as percebia como em um sonho, com um pouco de febre, por causa da sede. As palavras do pequeno príncipe dançavam em minha memória:

– Então, você também tem sede?, perguntei a ele.

Mas ele não respondeu à minha pergunta. Ele me disse simplesmente:

– A água também pode ser muito boa para o coração...

Eu não entendi sua resposta e me calei... Eu sabia que não adiantava interrogá-lo.

Ele estava cansado. Ele se sentou. Eu me sentei perto dele. E, depois de um silêncio, ele disse ainda:

– As estrelas são belas, por causa de uma flor que não se vê...

Eu respondi "certamente" e observei, sem falar, as dobras da areia sob a lua.

– O deserto é belo, acrescentou ele.

E é verdade. Eu sempre amei o deserto. A gente se senta sobre uma duna de areia. Não se vê nada. Não se ouve nada. E no entanto algo brilha em silêncio...

– O que torna o deserto belo, disse o pequeno príncipe, é que ele esconde um poço em algum lugar...

Eu me surpreendi ao compreender de repente esse brilho misterioso da areia. Quando eu era um menino, eu morava numa casa antiga, e as lendas contavam que havia um tesouro escondido ali. Decerto, ninguém nunca conseguiu descobri-lo, e nem mesmo nunca o procurou. Mas ele encantava toda aquela casa. Minha casa escondia um segredo no fundo de seu coração...

– Sim, disse ao pequeno príncipe, quer se trate de uma casa, das estrelas ou do deserto, o que traz sua beleza é invisível!

– Fico contente, disse ele, que você concorde com a minha raposa.

Como o pequeno príncipe dormiu, eu o tomei em meus braços e continuei a caminhada. Eu estava comovido. Parecia-me carregar um tesouro frágil. Parecia mesmo que não havia nada mais frágil sobre a Terra. Eu olhava, à luz da lua, essa fronte pálida, esses olhos fechados, essas mechas de cabelo que tremiam ao vento, e dizia a mim mesmo: "O que eu estou vendo é apenas uma casca. O mais importante é invisível..."

Como seus lábios entreabertos esboçavam um meio-sorriso, eu disse então a mim mesmo: "O que me comove tanto nesse pequeno príncipe adormecido é sua fidelidade a uma flor, é a imagem de uma rosa que brilha nele como a chama de uma candeia, mesmo enquanto ele dorme..." E eu o percebi ainda mais frágil. As candeias pre-

Ele riu, tocou a corda, fez girar a polia.

cisam realmente ser protegidas: um sopro de vento pode apagá-las...

E, caminhando assim, eu encontrei o poço ao raiar do dia.

XXV

– Os homens, disse o pequeno príncipe, eles se enfurnam nos trens expressos, mas eles não sabem o que procuram. Então eles se agitam e ficam dando voltas...

E acrescentou:

– Não vale a pena...

O poço que encontramos não se parecia com os poços saarianos. Os poços saarianos são buracos simples na areia. Esse se parecia com um poço de um vilarejo. Mas não havia nenhum vilarejo ali, e eu achava que estava sonhando.

– É estranho, disse ao pequeno príncipe, tudo está pronto: a polia, o balde e a corda...

Ele riu, tocou a corda, fez girar a polia.

E a polia gemeu como geme um cata-vento quando o vento já dormiu há muito tempo.

– Está ouvindo, disse o pequeno príncipe, nós acordamos esse poço e ele está cantando...

Eu não queria que ele se esforçasse:

– Deixa que eu faço, disse a ele, é muito pesado para você.

Lentamente eu icei o balde até a margem. E o depositei firme no chão. Em meus ouvidos persistia o canto da polia e, na água que ainda tremia, eu via tremer o sol.

– Tenho sede dessa água, disse o pequeno príncipe, dê-me de beber...

E eu compreendi o que ele havia procurado!

Levantei o balde até seus lábios. Ele bebeu, de olhos fechados. Era doce como uma festa. Essa água era muito mais que um alimento. Ela havia nascido da caminhada sob as estrelas, do canto da polia, do esforço dos meus braços. Ela era boa para o coração, como um presente. Quando eu era pequeno, a luz da árvore de Natal, a música da missa da meia-noite, a doçura dos sorrisos traziam, assim, todo o brilho do presente de Natal que eu recebia.

– Os homens daqui, disse o pequeno príncipe, cultivam cinco mil rosas num mesmo jardim... e eles não encontram o que procuram...

– Eles não encontram, respondi...

– E, no entanto, o que eles procuram poderia ser encontrado em uma única rosa ou em um pouco d'água...

– Certamente, respondi.

E o pequeno príncipe acrescentou:

– Mas os olhos são cegos. É preciso procurar com o coração.

Eu bebi. Respirei fundo. A areia, ao raiar do dia, é da cor do mel. Eu também estava feliz com essa cor de mel.

Por que então eu sentia esse pesar?...

– É preciso que você mantenha sua promessa, disse-me docemente o pequeno príncipe, que, de novo, estava sentado perto de mim.

– Que promessa?

– Você sabe... uma focinheira para a minha ovelha... eu sou responsável por aquela flor!

Tirei do meu bolso meus desenhos. O pequeno príncipe, ao vê-los, disse, rindo:

– Seus baobás parecem um pouco com couves...

– Ah!

Eu que tinha tanto orgulho dos baobás!

– Sua raposa... as orelhas dela... elas parecem um pouco com chifres... elas são muito compridas!

E ele riu novamente.

– Você é injusto, rapazinho, eu não sabia desenhar nada que não fosse jiboias fechadas e jiboias abertas.

– Ah, está bom, disse ele, as crianças entendem.

Eu desenhei então uma focinheira. E meu coração se apertou ao dá-la para ele:

– Você tem projetos que eu desconheço...

Mas ele não me respondeu. Ele me disse:

– Sabe, minha queda na Terra... amanhã completa um ano...

Depois, após um silêncio, ele disse:

– Eu caí bem perto daqui...

E enrubesceu.

E, de novo, sem saber por que, eu senti uma tristeza estranha. Contudo, uma pergunta veio a mim:

– Então não é por acaso que, na manhã em que o conheci, há oito dias, você passeava assim, sozinho, a mil milhas de todas as regiões habitadas! Você estava voltando para o ponto da queda?

O pequeno príncipe enrubesceu novamente.

E eu acrescentei, hesitante:

– Por causa, talvez, dessa data?...

O pequeno príncipe enrubesceu mais uma vez. Ele jamais respondia a uma pergunta, mas, quando se enrubesce, isso quer dizer "sim", não é mesmo?

– Ah, disse a ele, eu tenho medo...

Mas ele me respondeu:

– Agora você precisa trabalhar. Você tem que voltar para a sua máquina. Eu o espero aqui. Volte amanhã à noite...

Mas eu não estava tranquilo. Eu me lembrava da raposa. Nos arriscamos a chorar um pouco quando nos deixamos cativar...

XXVI

Havia, ao lado do poço, uma ruína de um velho muro de pedra. Quando eu voltei do meu trabalho, na noite seguinte, eu avistei de longe o meu pequeno príncipe sentado lá em cima, as pernas balançando. E eu o ouvi falar:

– Você não se lembra?, dizia ele. Não é esse o lugar certo!

Uma outra voz respondeu, sem dúvida, pois ele replicou:

– Sim, sim, é hoje o dia, mas não é aqui o lugar...

Eu continuei caminhando até o muro. Eu ainda não via nem ouvia ninguém. Contudo, o pequeno príncipe respondeu novamente:

– ... Certamente. Você vai ver onde começam minhas pegadas na areia. Você só precisa me esperar. Estarei lá esta noite.

Eu estava a vinte metros do muro e continuava a não ver ninguém.

O pequeno príncipe disse de novo, depois de um silêncio:

– Você tem veneno bom? Tem certeza que não vai me fazer sofrer muito tempo?

Agora, vá embora, disse ele... eu quero descer!

Eu parei, coração apertado, mas continuava a não entender.

– Agora, vá embora, disse ele... eu quero descer!

Então baixei meus olhos para o pé do muro, e dei um pulo de susto! Lá estava, esticada na direção do pequeno príncipe, uma dessas serpentes amarelas que executam você em trinta segundos. Buscando meu revólver em meu bolso, comecei a correr, mas, com o barulho que fiz, a serpente se deixou deslizar lentamente sobre a areia, como um jato de água que se extingue e, sem pressa, se esgueirou entre as pedras com um leve ruído de metal.

Cheguei ao muro bem a tempo de receber em meus braços meu pobre pequeno príncipe menino, pálido como a neve.

– Que história é essa? Agora você fala com as serpentes!

Eu desamarrei seu eterno cachecol dourado. Molhei sua têmpora e lhe dei de beber. E então não ousava lhe perguntar nada. Ele me fitou com seriedade e me envolveu o pescoço com seus braços. Sentia seu coração batendo como o de um pássaro que morre quando atingido por uma carabina. Ele me disse:

– Estou contente que você tenha encontrado o que faltava para a sua máquina. Você vai poder voltar para casa...

– Como você sabe?!

Eu vinha justamente para lhe contar que, contra toda expectativa, eu tinha concluído meu trabalho!

Ele não respondeu à minha pergunta, e acrescentou:

– Eu também, hoje, volto para minha casa...

E depois, melancólico:

– É bem mais longe... é bem mais difícil...

Eu percebi que algo de extraordinário se passava. Eu o apertei bem forte em meus braços como uma criança pequena, e, no entanto, ele me parecia cair verticalmente em um abismo sem que eu pudesse fazer nada para segurá-lo...

Ele tinha o olhar sério, perdido na distância:

– Estou com a sua ovelha. E com a caixa para a ovelha. E com a focinheira...

E sorriu com melancolia.

Esperei por um longo tempo. Eu sentia que ele se aquecia pouco a pouco:

– Meu pequeno rapaz, você teve medo...

Com certeza, ele tinha tido medo! Mas ele riu docemente:

– Terei bem mais medo esta noite...

De novo, me senti congelado pelo sentimento do irreparável. E entendi que não suportava a ideia de nunca mais ouvir esse riso. Era para mim como uma fonte no deserto.

– Meu pequeno , eu quero ouvir seu riso de novo...

Mas ele me disse:

– Esta noite, vai fazer um ano. Minha estrela vai estar bem acima do local onde eu caí no ano passado...

– Meu pequeno, me diga que é só um sonho ruim essa história de serpente e de encontro e de estrela...

Mas ele não respondeu à minha pergunta. Ele me disse:

– O que é importante, não se vê...

– É verdade...

– É como com a flor. Se você ama uma flor que está em uma estrela, é doce, à noite, olhar para o céu. Todas as estrelas são floridas.

– É verdade...

– É como com a água. Aquela que você me deu para beber era como uma música, por causa da polia e da corda... você se lembra... ela era muito boa.

– É verdade...

– Você vai olhar, à noite, as estrelas. É muito pequeno onde eu moro para que eu lhe mostre onde se encontra a minha. É melhor assim. Minha estrela, para você, será qualquer estrela. Assim, você vai gostar de olhar para todas as estrelas... Todas elas serão suas amigas. E, ainda, vou lhe dar um presente...

E ele riu de novo.

– Ah, meu pequeno rapaz, pequeno rapaz, eu adoro ouvir esse seu riso!

– Justamente esse será o meu presente... será como com a água...

– O que você quer dizer com isso?

– As estrelas não são as mesmas para cada pessoa. Para algumas, que viajam, as estrelas são guias. Para outras, são somente pequenas luzes. Para aqueles que as estudam, elas são problemas. Para o meu homem de negócios, elas eram ouro. Mas todas essas estrelas se calam. E você terá estrelas como ninguém as tem...

– O que você quer dizer?

– Quando você olhar o céu, à noite, já que habitarei uma delas, já que estarei sorrindo de uma delas, então será para você como se todas as estrelas sorrissem. Você terá estrelas que sabem sorrir!

E ele riu de novo.

– E quando você se consolar (todo mundo se consola), você ficará contente de ter-me conhecido. Você será sempre meu amigo. Você terá vontade de rir comigo. E você, às vezes, abrirá a janela, assim, só pelo prazer... E seus amigos ficarão admirados de vê-lo rir olhando para o céu. E então você lhes dirá: "Sim, as estrelas, elas sempre me fazem sorrir!" E eles acharão que você é louco. E eu terei pregado uma baita peça em você...

E ele riu novamente.

– Será como se eu lhe tivesse dado, ao invés de estrelas, um bocado de sininhos que sabem rir...

E ele riu de novo. Depois, ficou sério novemente:

– Esta noite... você sabe... não venha.

– Eu não vou abandonar você.

– Vai parecer que estou passando mal... vai parecer um pouco que estou morrendo. É assim mesmo. Não venha ver isso, não vale a pena...

– Eu não vou abandonar você.

Mas ele estava preocupado.

– Eu lhe digo isso... é também por causa da serpente. Não deixe ela morder você... As serpentes são malvadas. Elas podem morder só pelo prazer...

– Eu não vou abandonar você.

Mas alguma coisa o tranquilizou:

– Mas é verdade que elas não têm veneno para uma segunda mordida...

Naquela noite eu não o vi pôr-se a caminho. Ele partiu sem fazer barulho. Quando consegui alcançá-lo, ele caminhava decidido, com um passo rápido. Ele me disse somente:

– Ah! Você está aí...

E ele me pegou pela mão. Mas ele ficou novamente aflito:

– Você não devia ter feito isso. Você vai sofrer. Vai parecer que estou morto, mas não será verdade...

E eu estava calado.

– Você compreende. É bem longe. Eu não posso carregar este corpo aqui. Ele é muito pesado.

E eu estava calado.

– Mas ele será como uma velha casca abandonada. As velhas cascas não são tristes...

E eu estava calado.

Ele se desencorajou um pouco. Mas fez ainda um esforço:

– Será legal, sabe? Eu também vou olhar as estrelas. Todas as estrelas serão poços com polias girando. Todas as estrelas me darão de beber...

E eu permaneci calado.

– Vai ser tão divertido! Você terá quinhentos milhões de sininhos, e eu terei quinhentos milhões de fontes...

E ele também se calou, pois estava chorando.

– É logo ali. Deixe-me andar sozinho.

E ele se sentou, pois estava com medo. E disse ainda:

– Você sabe... a minha flor... sou responsável por ela! E ela é tão frágil! E ela é tão inocente. Ela tem quatro espinhozinhos de nada para protegê-la contra o mundo...

E eu me sentei, pois não conseguia mais ficar em pé. Ele disse:

– Então... É isso...

Ele ainda hesitou um pouco, e depois se levantou. Deu um passo. E eu não podia me mexer.

Só pude ver um clarão amarelo perto de seu tornozelo. Ele permaneceu imóvel um pouco. Ele não gritou. Ele tombou lentamente como tomba uma árvore. E sequer fez barulho, por causa da areia.

XXVII

E agora, claro, já faz seis anos... Eu nunca contei essa história. Os companheiros que me reencontraram ficaram muito contentes de me ver vivo. Eu estava triste, mas dizia para eles: "É o cansaço..."

Ele tombou lentamente como tomba uma árvore.

Agora, já estou um pouco consolado. Quer dizer... não completamente. Mas eu sei bem que ele retornou ao seu planeta, pois, ao nascer do dia, eu não encontrei seu corpo. Não era um corpo assim tão pesado... E, à noite, eu adoro ouvir as estrelas. São como quinhentos milhões de sininhos...

Mas algo extraordinário aconteceu. A focinheira que eu desenhei para o pequeno príncipe, eu esqueci de acrescentar uma tira de couro! Ele não terá conseguido amarrá-la na ovelha. E então eu me pergunto: "O que será que se passou em seu planeta? Pode ser que a ovelha tenha comido a flor..."

Às vezes eu penso: "Certamente que não! O pequeno príncipe guarda todas as noites a sua flor sob o seu globo de vidro, e ele cuida bem da ovelha..."

E então fico contente. E todas as estrelas riem docemente.

Mas depois eu digo a mim mesmo: "A gente se distrai uma vez ou outra, e isso basta! Ele esqueceu, uma noite qualquer, o globo de vidro, ou mesmo a ovelha saiu sem fazer barulho durante a noite..." E então os sininhos todos se transformam em lágrimas!...

E aí está um grande mistério. Para vocês que gostam do pequeno príncipe, assim como para mim, tudo muda no universo se, em algum lugar, não se sabe onde, uma ovelha que não conhecemos comeu ou não uma rosa...

Olhem para o céu. Perguntem: "A ovelha comeu ou não comeu a flor?" E vocês verão como tudo muda...

E nenhuma pessoa grande jamais compreenderá o quanto isso é importante!

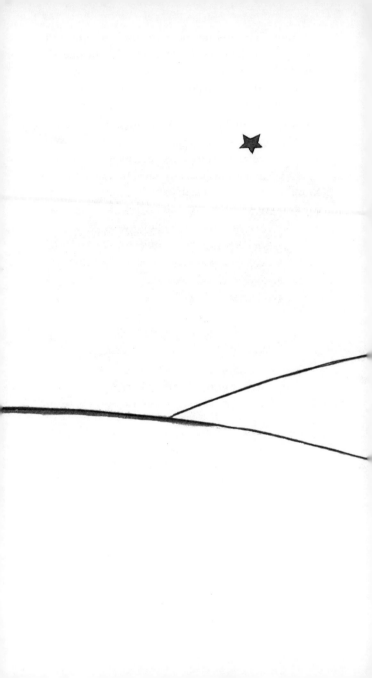

Essa é, para mim, a mais bela e a mais triste paisagem do mundo. É a mesma paisagem que aquela da página precedente, mas eu a desenhei mais uma vez para mostrar melhor para vocês. É aqui que o pequeno príncipe apareceu sobre a Terra, e depois desapareceu.

Olhem com atenção para essa paisagem para terem certeza de reconhecê-la, se um dia vocês viajarem para a África, no deserto. E, se acontecer de vocês passarem por lá, eu suplico, não se apressem, parem um pouco bem embaixo da estrela! Se então uma criança vier até vocês, se ela sorrir, se ela tiver cabelos de ouro, se ela não responder quando vocês perguntarem alguma coisa, vocês saberão bem quem ela é. Então, sejam gentis! Não me deixem assim tão triste: escrevam para mim imediatamente contando que ele voltou...

Vozes de Bolso – Literatura

- O Pequeno Príncipe
  Antoine de Saint-Exupéry
- Dom Casmurro
  Machado de Assis
- Memórias de um Sargento de Milícias
  Manuel Antônio de Almeida
- O Alienista
  Machado de Assis
- O Cortiço
  Aluísio de Azevedo
- Iracema
  José de Alencar
- O triste fim de Policarpo Quaresma
  Lima Barreto
- Macunaíma – O herói sem nenhum caráter
  Mário de Andrade
- Amor de perdição
  Camilo Castelo Branco
- O primo Basílio
  Eça de Queirós
- Memórias póstumas de Brás Cubas
  Machado de Assis
- A moreninha
  Joaquim Manuel de Macedo
- Senhora
  José de Alencar
- Lucíola
  José de Alencar
- A mão e a luva
  Machado de Assis
- O Ateneu – Crônica de saudades
  Raul Pompeia
- Helena
  Machado de Assis
- Quincas Borba
  Machado de Assis
- A metamorfose
  Franz Kafka
- O Guarani
  José de Alencar
- Esaú e Jacó
  Machado de Assis
- A carta de Pero Vaz de Caminha
  Pero Vaz de Caminha
- O crime do Padre Amaro
  Eça de Queirós
- O processo
  Eça de Queirós

CATEQUÉTICO PASTORAL

Catequese – Pastoral
Ensino religioso

CULTURAL

Administração – Antropologia – Biografias
Comunicação – Dinâmicas e Jogos
Ecologia e Meio Ambiente – Educação e Pedagogia
Filosofia – História – Letras e Literatura
Obras de referência – Política – Psicologia
Saúde e Nutrição – Serviço Social e Trabalho
Sociologia

TEOLÓGICO ESPIRITUAL

Biografias – Devocionários – Espiritualidade e Mística
Espiritualidade Mariana – Franciscanismo
Autoconhecimento – Liturgia – Obras de referência
Sagrada Escritura e Livros Apócrifos – Teologia

REVISTAS

Concilium – Estudos Bíblicos
Grande Sinal – REB

PRODUTOS SAZONAIS

Folhinha do Sagrado Coração de Jesus
Calendário de mesa do Sagrado Coração de Jesus
Agenda do Sagrado Coração de Jesus
Almanaque Santo Antônio – Agendinha
Diário Vozes – Meditações para o dia a dia
Encontro diário com Deus
Guia Litúrgico

VOZES NOBILIS

Uma linha editorial especial, com
importantes autores, alto valor
agregado e qualidade superior.

CADASTRE-SE
www.vozes.com.br

VOZES DE BOLSO

Obras clássicas de Ciências Humanas
em formato de bolso.

EDITORA VOZES LTDA.
Rua Frei Luís, 100 – Centro – Cep 25689-900 – Petrópolis, RJ
Tel.: (24) 2233-9000 – Fax: (24) 2231-4676 – E-mail: vendas@vozes.com.br

UNIDADES NO BRASIL: Belo Horizonte, MG – Brasília, DF – Campinas, SP – Cuiabá, MT
Curitiba, PR – Fortaleza, CE – Goiânia, GO – Juiz de Fora, MG
Manaus, AM – Petrópolis, RJ – Porto Alegre, RS – Recife, PE – Rio de Janeiro, RJ
Salvador, BA – São Paulo, SP